蛙做的夢是什麼顏色？

古濕地復育記

致謝

我要感謝那位行善不欲人知的企業家，
也感謝多次與我同行的學生，
如果沒有你們，
我也走不出自己憂鬱的泥沼。

目錄

Part ③

重現一座古濕地

Part ④

野地裡的課

蛙做的夢是什麼顏色

有一年，我的身邊有些窮困的緬甸僑生，

也有幾個憂鬱、沮喪、每天吃精神藥劑的學生。

這些學生，大都無法適應學校繁重的功課，

在受傷的心靈之上，

難以架構知識。也許

他們的心需要一雙翅膀，

在另一種教育園地

找到美好的空間，才能飛翔。

我為這兩種學生掙扎了很久，才去找一個企業家請求幫忙，

他立刻為每個窮學生付掉所有的學費。

他又給我一個地方，

讓我可以與學生一起用所學來築夢。

原來，他在台北景美山下有一些土地，

我搭公車去看，那裡的車站叫「馬明潭」。有趣的是，

那裡沒有水潭。

我回學校，告訴學生：「讓我們一起來尋找馬明潭吧。」

學生問：「找一個不一定存在的地方嗎？」

我說：「我相信先民不會亂起地名。」

學生說：「也許，那是傳說。」

我肯定的說：「尋找，就會尋見。」

學生與我，一起前往，

一次、兩次、三次……其實，

我們常在野外聊天，
或一起默默的坐在草地上，
聽著蛙鳴、鳥叫，看著藍天、白
雲，或數算夜空的星星，

有一天，我們竟然遇著一個隱密的濕地，
「真的有吔！」學生興奮的說道。
我們先驗證，再向政府申請保護這個水域。
有個大官來看，她直嚷著說：「這裡就是馬明潭啦。」
於是失落在現今地圖上的一塊濕地，有名字了。
其實，我們找到的不只是濕地，而是一個教育之愛、
了解與關心的新空間。
現今，你如果打電話到我辦公室，找不到我，
我應該是與學生走在景美山下，
分享所看到的一片樹葉、一朵小花、一隻蝸牛，
或是一隻樹蛙。
我在學生發亮的眼中，看到醫治、熱情與希望。
這本書，就是記錄這個發現的過程。

▍景美山下

Part 1

在台北，
撿到一個古濕地

原來台北以前跟現在差這麼多啊。

是啊，景美的古風貌現在幾乎消逝了。

不過在2013年時，我帶著台灣堡圖與學生一起發現這個小濕地。

咦？

對了老師，台灣堡圖是什麼？

那是日治時代，台灣總督府整理清領時期劉銘傳做的土地丈量資料，再實地測量後做出的台灣地形圖。

這個濕地外人不易看出，就連住附近的長輩也不知道有這水潭存在。

我在濕地邊打了一根地下水觀測井。

真的嗎？

後來持續觀察一年，我發現濕地從不乾涸，地下水井也會持續出水。

六月份的時候，地下水井每日出水量甚至達到51.9噸呢。

嗯嗯！

？

後來又用地質鑽探的方式取得土壤與岩心並鑑定年代，發現這裡曾是一片沼澤呢。

咦？真難想像！

對了老師，地質鑽探又是？

就是利用鑽探機，將鑽頭與岩心筒鑽入地層中取得樣本。

鑽探機

岩心筒

既然是連附近的人都不知道！又有無限的地下水！

感覺可以在這理舉辦祕境派對呢！

沒錯，依據不同深度的岩心樣本，便能夠分析不同深度的土壤判定地質甚至讀出土地的歷史。

啪

呃！

16

Part 2

蛙類教我的事

拉都希氏赤蛙的呼喚

那曾經是個傳說，
散落在臺灣鄉野的雜記裡。
早在先民尚未進入台北盆地之前，
已有凱達格蘭族人
住在景美溪畔。
他們在高處搭建草棚，
在水邊逐鹿。
1730 年代，漢人進來，先在高地種植茶葉。而後
在平地種植甘藷、水稻，
也有人採煤。
1895 年，日本人前來，
發現景美溪的岩石，是堅硬的石材，
矽酸值含量高，礦物表面的吸水率低，
當成台北建造的供料。
又是百年，空地蓋上大樓，平地鋪上馬路，河流填上溝蓋，
車來車去，人來人往，
眾人已經不知景美的古風貌，
傳說，幾乎消逝。
2013 年冬天，我第一次獨自在景美山下，
遇見
一隻拉都希氏赤蛙，忽然，想起一段早期的記憶。

　　蛙類，是非常有趣的動物。牠們會躲藏，會用叫聲顯示牠們的存在。每種蛙的鳴叫都不同，甚至每一隻蛙的鳴叫都有些微的差異。牠們總是用自己多變的鳴叫在溝通、在闡述。這包括對棲息領域的宣告，與同伴的互通，求偶性的賣力，遇到突發危險時的驚惶，與對周遭變動的回應等。牠們的叫聲不同，叫法多變。

蛙類與人的關係

　　蛙類怕人，看到人就跳開，跳不開就躲藏。有趣的是，蛙類又喜歡進入人類的區域：水稻田、圳路、池塘、都市、公園、甚至是澆水的水桶裡。牠們不請自來，使用地方不付地租，使用

台南新化古代的虎皮蛙田

池塘不付水費，使用圳路不付過路費。也許蛙類認為牠們是與人類共同分享這片大地。因為人類還沒前來時，牠們已經在這裡很久了。

在牠們的生命裡，仍然傳承著古老世代的記憶，這裡是牠們的活動區。牠們以為每一個世代所需要的水域，仍在這裡。以為草本植物下的覆蓋是牠們的棲息地，落葉下的昆蟲是牠們的食物，腐木下的縫隙是牠們的藏身之處，地上的草叢是牠們自由活動的空間。

牠們可能不知道，近代有些都市人對牠們冷漠，甚至將牠們的鳴叫當作難以忍受的噪音。

喜歡蛙類的原因

不過大部分的人，仍然尊重蛙類的生存權，也喜歡傾聽牠們的鳴叫，喜歡與蛙類分享空間。我是其中的一位，從小就喜歡蛙類。我來自鄉下，1966 年，念彰化中學時，學校附近有許多的池塘與水田。在下課的時候，常到田埂邊釣蛙類。

釣的方法是在線的一端綁條蚯蚓，手握住另一端，在田埂上上下下抖動，蛙類就會注意到，以為食物來了。蛙類咬住蚯蚓過程不會鬆口，很容易釣上來。夏天，我經常釣到大隻的虎皮蛙、貢德氏赤蛙與澤蛙。秋天，二期作水稻收割後，天氣轉涼，很多蛙類會潛伏，我較常釣到的是拉都希氏赤蛙。釣到後，我就將蛙類放回田裡，免得回家被父母知道我沒去補習。同學在上課，我卻經常在田邊釣蛙類。

呆者的夥伴

我在釣蛙過程裡，開始學習我的「蛙類學」。我逐漸知道田埂下，不同的深度，會有什麼蛙類在那裡等食物。什麼季節，會釣到什麼蛙。尤其水蛇前來時，蛙類會互相呼喚，由水道的排水口成群跳出，逃避水蛇。一陣子後再從灌溉水口跳進來，無事般的呱呱叫。我才知道台灣傳統的農業灌溉、排水路兼用，可以給蛙類多選擇的進出路徑，對蛙類的逃生大有幫助。

釣蛙，是我快樂的時候。有時，一隻蚯蚓可以將同一隻蛙類釣起來幾次。尤其是拉都希氏赤蛙，牠被釣起來時沒什麼反抗，只有一副無辜的臉。我們都是呆呆一族，就像我沒考好，被老師用藤條打手心，由痛打到手發麻，我的表情也是呆呆。

冬日的跳躍高手

拉都希氏赤蛙與一些蛙類，以前鄉下人都通稱「田蛤仔」。拉都希氏赤蛙體色黃棕，體重約0.4公斤，身長約4-5公分，很會跳躍。我曾經看牠跳高一公尺以上，直接從緊鄰水稻田的水路，越過田埂，跳入農田。牠能跳身體高度20倍以上的垂直距離，我若能跳這麼高，就可以一躍到8層樓以上了。

蛙類是冷血動物，必須藉著太陽的熱量，才能使身體熱起來而活動。但是拉都希氏赤蛙有特殊的生理代謝，在冬天仍然活躍。

放走解剖蛙的學生

我在中學上解剖課時，常將要解剖的蛙類藏在書包，下課後，走到了公園才偷放。大學、研究所時期，我漸漸知道蛙類的生理學，知道拉都希氏赤蛙能將熱量保持在心臟附近的血管，不因皮膚與冷空氣接觸，而造成熱量的損失。常溫動物與冷血動物不是截然二分，有些動物介於其間，拉都希氏赤蛙是其中的例子。

1970年，我到台北求學，再也沒有地方可以釣蛙類。事隔30多年，我沒有再接觸蛙類。2008年，我才參加農田蛙類保育的工作。2013年，我想工作夠久了，應該退下來。沒想到2013年12月，夜裡我在景美山的山腳下，聽到拉都希氏赤蛙在鳴叫，我也聽到牠們在水邊跳躍。忽然我想到的不是保育蛙類，而是江戶時期，日本著名的詩人芭蕉(1644-1694)的詩：「蛙躍古池內，靜夜傳輕響」。

不管有多少的知識，不管有多少的經歷，愛護弱小的野生動物，總是單純開始。

▎我與學生在景美山下

蛙類物理學：都市生態裡的重要蛙類

一些跟人類居住得很近的蛙類，以前鄉下人通稱「田蛤仔」。其中拉都希氏赤蛙、貢德氏赤蛙以及腹斑蛙在生態上都是有特殊意義的蛙類。

拉都希氏赤蛙

身長：約4-5公分。

出沒地點：溪流、溝渠、水池、都市、水田裡都可以見到牠們的蹤跡，適應力強。

特點：能跳身體高度20倍以上的垂直距離。拉都希氏赤蛙能將熱量保持在心臟附近的血管，所以在冬天裡活動力還是很旺盛。

貢德氏赤蛙

身長：約6-7公分。

出沒地點：經常在水田、沼澤附近活動，又稱為「沼蛙」。都市裡也有他們的蹤跡。

特點：個性害羞機警。耐汙染，體內經常累積在汙水管中吸收到的重金屬，以水管為遷移的通道，順著有牠們鳴叫的地下水管，可以溯源找出水的出處。

腹斑蛙

身長：約6-8公分。

出沒地點：丘陵地區的沼澤、水池。

特點：台灣的蛙類中起跳角度最大，可以跳上45°以上的傾斜坡，丘陵地地型愈多變化，高低愈多歧異，闊葉林與草地交錯的地帶，是腹斑蛙最喜歡的地區。

瞭解蛙類，
是最有趣的自然探索

有個學生在作業上寫道：

「謝謝老師帶我去到野外，還沒去以前，

我從來沒有看過蛙類。」

她在後面加附註——我是在都市長大的孩子。

於是，我用講故事的方式，

教導學生認識蛙類。

因為我相信，任何的學問，

都可以從故事學起。

　　在古老的年代，人類已經注意到蛙類的存在。環境好的時候，以聽蛙鳴為風雅；環境不好時，以蛙肉為食物；休閒的時候，用筆墨來畫蛙；生病的時候，用蛙皮作醫藥。其實，蛙類的存在另有價值，是多數人所未知。生物的認識，從分類學開始。

　　蛙類是世界上分布最廣的動物之一，由寒冷的北極到酷熱的沙漠，都有蛙類的存在。蛙類對自然環境有高度的適應力，也接近人群。蛙類經常在人類的住處、農地、圳路、水池等附近活動。蛙類必須有特殊的本領，才能適應經常被人類改變的環境。不同種類的蛙，也常共享一個水域，在野外經常有 5 ～ 8 種的蛙類，在同一個水池邊鳴叫。

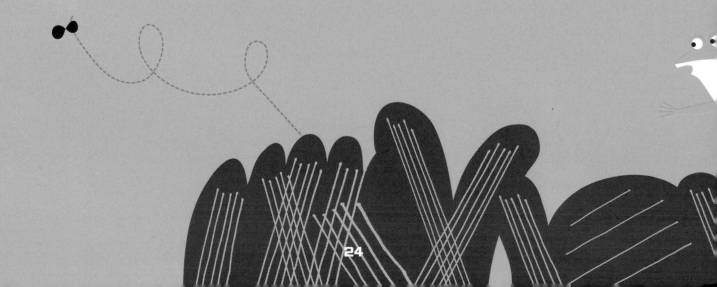

蛙對人類的貢獻

　　早期中國人發現蛙類能吃掉水田大量的昆蟲，農人因而在田埂上保留草地，讓蛙接近。希臘人看到天氣好時，蛙類常在水面；下雨時，蛙類沉到水底，所以把蛙當作「氣壓計」。羅馬人用蛙類的叫聲，稱蛙為Rada；用蟾蜍的叫聲，稱蟾蜍為Bufo。Rada 與Buffo，迄今仍用在命名裡。

　　十五世紀之後，人類常用蛙類來做科學實驗，例如：達文西（Leonardo da Vinci，1452-1519）首先證明蛙類四肢運動與腦部的功能有關。布朗尼（Thomas Browne，1605-1682）發現蛙類的生活史，牠們離不開潮濕的地方。哈維（William Harvey，1578-1657）發現蛙類的心臟跳動，能使血液在全身流動，開啟近代解剖醫學。伽伐尼（Luigi Calvani，1737-1798）發現蛙的肌肉運動是電流在神經間傳遞，開啟電力學。施旺麥丹（Jan Swammerdam,1637-1680）發現蛙類的肌肉運動、味覺反應與視力，與人相近。瞭解蛙類，能夠幫助人類瞭解自己。

蛙的分類

十八世紀，探險家蓋茨比（Mark Catesby，1682-1749）發現一隻從未見過的牛蛙，將其作成標本，用船運送到瑞典，給林奈（Carl Linnaeus，1707-1778）鑑定，林奈稱其為Rana catesbeiana，從此開啟蛙的分類學。到十九世紀，人類才將蛙當成學問。

在二十世紀初期，最著名的蛙類分類學者是布朗傑（George Albert Boulenger，1858-1937）。他命名許多的蛙類。例如在1882年命名「貢德氏赤蛙」（Rana guentheri），1899年命名「拉都希氏赤蛙」（Rana latouchii），1908年命名「莫氏樹蛙」（Rhacophorus moltrechti），1909年命名「腹斑蛙」（Rana adenopleura）與「梭德氏蛙」（Rana sauteri）等，他一生為2,500種的蛙類命名。

喜好科學者的預備

布朗傑生於比利時的布魯塞爾（Brussels），從小喜愛自然科學，善於觀察周遭動物。他寫道：「善於觀察生物，將能發現周遭充滿有趣的對象。瞭解生物，是最有趣的自然探索。」1876年，他進入「自由大學」（Free University）的自然科學學系。在學期間，他寫道：「擅長生物鑑定的背後，是擅長記憶。看到生物後，就能記其特徵。不同種類的生物都存在特徵，給人系統性的分類。」他也修俄語、英語、德語等，準備日後能與不同國家的生物學家溝通。

1881年，他大學畢業。「大英博物館」（British Museum）剛好要聘一位動物標本專家，負責管理、分類各處寄來的動物標本。布朗傑前往應徵，博物館的館長貢德（Albert Gunther, 1830-1914）與他面談後，立刻聘任他。布朗傑以高度的熱忱回應，主動與各地聯絡，交換標本。他也定期開課，教導探險家製作生物標本的技術，做完之後，可以將標本寄給他，他若發現新品種，就用寄來者的姓氏命名，自己從不留名。

GEORGE ALBERT BOULENGER

CARL LINNAEUS

良好的溝通能力

布朗傑設計一套「標準表格」，有系統的記錄所觀察的生物標本，保持前後一致的分類程序。他將不同的科屬分門造冊，編上條碼，讓別人容易查詢。他寫道：「我在標本館所看的，都是死的生物。我要看過許多標本才發現一個新物種。但是，枯燥的工作裡才有機會發現新物種，在重複的鑑定中，每天都隨時準備好去迎接一件新的發現。」

最為後世稱道的是，他幫忙籌建「印度自然博物館」與「剛果自然博物館」，後來成為亞洲與非洲新物種鑑定的中心。他寫道：「要瞭解生物，最重要在瞭解生物的地理遷移……印度位於歐亞邊界，剛果位於非洲中央，應是出現最多物種的所在。」後來的科學界稱此為「生物地理關係學」，是了解大自然一個很好的入門。

蛙類的分類特徵

布朗傑特別喜歡蛙類，他寫道：「蛙類的分類特徵，在蛙類前肢的腳趾與腳趾的間距，及最後一趾離腳踁的距離等。」他也由蛙類型態，推測蛙類的運動方式，他寫道：「由蛙類的體型，可知道牠們是經常在水域、陸域的邊界，或是在廣大農田的水域邊緣活動。」

他也用蛙類造型，研究古代象形文字的意義，將蛙類的知識，延伸到古文物的考證。他寫道：「埃及金字塔內發現許多蛙類的圖騰，例如蹲在水草桿上的蛙，應該代表蛙的謙卑。」1922年，他退休後仍到處教人認識蛙類，使蛙類學被更多人知道。

人蛤關係

中國農人保留草地，
讓蛙類吃昆蟲。

蛙蛙科學

達文西

證明蛙類四肢運動跟腦部功能有關。

布朗尼

發現蛙類需要生長在潮濕的地方。

蛙蛙學術
研究歷程

18TH

十八世紀林奈命名探險
家蓋茲比發現的牛蛙
開啟蛙的分類學

CARL LINNAEUS

羅馬人，用叫聲
幫蛙類命名。

CROCK!

ROME

GREEK

希臘人，將蛙類
當作氣壓計

WILLAM HARVEY

哈維

發現蛙類的心臟跳動，可以讓血液在
全身流動，開啟進代解剖醫學。

LUIGI CALVANI

伽伐尼

發現蛙類的肌肉運動是電流
在神經的傳遞，開啟電力學。

JAN SWAMMERDAM

施旺麥丹

發現蛙類的肌肉運動、味覺反應與
視力跟人很接近。

19TH

十九世紀人類開始
蛙的研究

YOUR NAME IS...

GEORGE ALBERT BOULENGER

20TH

二十世紀布朗傑
開始大量命名蛙類

傾聽蛙鳴的指引

學生問道：「老師，為什麼以蛙鳴為音樂呢？」

我想了一下，才說：「讓我講個故事給你們聽。」

　　二十世紀初期，著名的生態教育學家狄克遜（Mary Dickerson，1866-1923），她在 1906 年寫道：「蛙的叫聲不是只為求偶，也是喜悅。當我細細的傾聽，蛙鳴的音質優美，彷彿是貝多芬（Ludwig Von Beethoven，1770-1827）月光曲的前面幾個音符，是美好的天籟。」狄克遜不是只有研究蛙的鳴叫，她也是蛙類的攝影師，開啟近代非常多人喜愛的「生態攝影」。

蛙鳴的原理

　　每種蛙類的跳躍和鳴叫與牠們的姿勢有關。平常蛙類蹲著時，身體略向前傾，使身體的重心在前方。蛙類在鳴叫之時，嘴部關閉，自鼻部吸入空氣，在鳴囊產生壓力。吸氣累聚的壓力，會使身體向後仰。蛙類預先使身體向前傾，剛好可以保持吸氣時身體的平衡。

　　蛙的骨架強壯，可以承受體內陡增的氣壓。吸足空氣後，蛙類將體內的氣壓以聲帶的彈性，推向嘴巴往下方的氣囊，並在口、鼻產生共振，使蛙類的發聲器官如同樂器，發出的聲音有不同的音符。雄蛙的發聲用到許多肌肉，相當花費身體的能量。

害羞的人比較容易瞭解蛙類

　　在科學史上，第一位研究蛙鳴的科學家是波格特（Charles Mitchill Bogert，1908-1992）。他生長在美國科羅拉多州的一個農場，從小照顧牛羊，他收養蛙類、烏龜與蛇。

蛙類物理學：蛙鳴

蛙類在交配、食物、領域、天敵預警
等不同場合，會有不同的鳴叫聲。每
一種蛙的鳴叫聲音也都不一樣。蛙類因
為具有鳴囊，可以使得鳴叫的聲音變得更為響亮。

蛙類鳴叫分解：

1　鳴叫時，從鼻子吸入空氣，在鳴囊產生壓力，
　　鳴囊鼓起。

2　將體內的氣壓以聲帶的彈性，推向嘴巴往下方的
　　鳴囊，並在口、鼻產生共振，發出響亮的鳴叫。

CRocK!

後來，他在加州大學取得動物學的碩士學位，畢業後到「洛杉磯國家公園」當自然解說員。五年後，轉到「大峽谷國家公園」。但他個性害羞，不善與人溝通，自覺不適合當解說員。

1936 年，他到「自然歷史博物館」擔任兩棲類部門的管理員，又兼哥倫比亞大學兩棲實驗室的講師。他以無比的熱忱研究蛙類，例如蛙類對於環境變化的生理反應，在不同溫度下，蛙類的體溫、心跳與攝食等。

用蛙聲判斷土地特性

1950 年後，自然科學博物館的展覽，以「恐龍、化石與珍奇動物」為流行。蛙類不是展示重點，所獲的經費很少。他仍堅持：「自然科學對孩童的教育，應該以周遭平凡的物種為主，而非古時的恐龍，或國外的珍奇物種。」。他以三十三年的時間，持續調查各地的蛙類。他提出：「每一種蛙類，選擇棲地的特性都不同，這些特性需要人仔細的調查。我認為不同的土壤水分，是蛙類選擇棲地的關鍵。因為土壤水分不同，長出的植物也不同，蛙類會選擇自己偏好的植物。」

他認為：「蛙類的研究，最好在野外觀察。」1958 年，他首先用錄音機記錄野外蛙類的鳴叫，比對聲紋，研究蛙鳴在交配、食物、領域、天敵預警的鳴叫變化。這是非常有名的研究，他後來出版《北美蛙鳴》（Sounds of North American Frogs），他成為世界上最有名的「蛙鳴譯者」。

退休後，他到世界各地旅行，持續為蛙錄音，作為蛙類對棲地選擇的判斷。到了晚年，他才突破害羞的個性，成為訓練自然解說員的老師。他寫道：「分享蛙類的熱忱，讓更多人認識蛙類，使我忽略個性的弱點。」

我分享這個故事後，學生問我：「老師，當年您的同學如何教您，使您獲得啟發？」我說：「我喜歡野溪，他喜歡野生動物，有很多互相分享的題材。」有一晚，我們在山上露營，半夜，他將我叫醒，告訴我：「有許多貓頭鷹在叫。」我聽了一下，說：「有。」又去睡了。他說：「現在不

能睡。你聽，有幾隻呢？」「幾隻？我怎麼知道呢？」我說。他說：「至少六隻。」他指出六個聲音傳來的方位。我漸漸的清醒，照他指的方位聽。我說：「我聽到了，但沒有那麼多隻。」他說：「你慢慢聽，就能分辨。每一隻的叫法都不同。」我聽清楚些。他又問：「你猜每隻貓頭鷹幾歲？是公還是母的？」⋯⋯

那夜，我看不到自己，雖然深夜裡營火還有一點微光。
但我相信，在那深夜，我的眼睛是明亮的。

在野外與學生調查蛙類

蛙舌的奧祕

「老師，為什麼我們不能像蛙類，有長長的舌頭？」

有個學生吐舌頭給我看。

我同情的看一眼，說：

「還好不長，否則自助餐的老闆就要緊張了。」

學生問：「為什麼呢？」

我說：

「蛙的舌頭，是無與倫比的傑作，

是生物界少見的武器，

能夠在很短的時間，伸長到嘴外，

黏住食物，拖回、捲入嘴中，

這一切在一秒鐘內，全部完成。

如果，有人像蛙的方式吃東西，

自助餐店的老闆就緊張了，

只見菜一直減少，顧客的嘴巴一直在嚼動，

卻無法看見，食物是如何到他的嘴裡。」

　　蛙的舌頭由幾條垂直的肌肉纖維組成，可以像捲尺捲起來。捲起來的舌頭，貼在嘴巴下層。舌頭的肌肉有兩面，上層有黏質蛋白，下層沒有，舌頭捲獵物時，捲的方式是向上捲，用上層黏獵物。獵物捲回時，下層貼在嘴下層。

水壓的調控

　　蛙類舌頭的肌肉纖維之間的孔隙，含有很多的水。舌頭用水壓伸出，捲到獵物後，洩壓又迅速捲回。蛙類舌頭伸出的速度很快。蛙的舌頭如同馬達，能夠迅速增加水壓，又能夠減弱水壓。

蛙類物理學：
無與倫比的蛙舌

蛙的舌頭，是無與倫比的傑作，是生物界
少見的武器，能夠在很短的時間，伸長到嘴外，
黏住食物，拖回、捲入嘴中，這一切在一秒鐘
內，全部完成。

舌頭特徵

1 舌頭肌肉上層有黏質蛋白，下層沒有。
2 舌頭肌肉纖維有很多孔隙，可以含水，用水
　壓來控制舌頭伸出跟捲回。
3 蛙舌一般長度約為在嘴中深度的5倍，體型
　愈大，舌頭愈長。
4 蛙舌伸出的角度變化很多，甚至可以超過
　180度，伸到頭頂上抓昆蟲。

捕食方式

1 蛙舌像馬達一樣，增加水壓伸出、減弱水壓
　收回。
2 伸出時上層黏住獵物，向上捲回，下層貼在
　嘴下方。

由於蛙的舌頭伸捲需要用到水壓，牠們必須經常喝水。缺水的蛙類，伸不出舌頭。

這種舌頭的運動方式類似液壓機，是高效能、低摩擦的運動。可讓蛙類節省獵食時間，又能降低失準的誤差。蛙類知道牠們舌頭的功能，所以很少追逐獵物。牠們只靜靜的潛伏，等獵物接近，用舌頭捕食。

舌頭吐出的難度

愈大型的蛙類，舌頭愈長，一般伸出舌頭的長度，約為在嘴巴深度的5倍。人類的舌頭主要是用來幫助咀嚼、發音、講話之用，不像蛙類的舌頭又強、又黏、又快、又捲。如果人的舌頭，可以吐的長長，就唱不出歌，說不出話。

「長舌婦」是偏差的話，若有長舌婦，話也不會多。狗也會吐舌頭，但是吐出的舌頭軟弱無力，大都用來散熱。貓的舌頭也能吐長，大都用來舔去身上的油汙。魚類也有舌頭，主要用來幫助吞嚼，吐不出嘴來。食獸蟻、變色龍與蜥蜴也用舌頭捕食，但是蛙的舌頭伸出的角度變化很多，不止左右、上下，甚至可以超過180度，伸到頭部的頂上抓昆蟲。

生物力學的奧妙

科學界對於蛙類舌頭的運動，仍有許多不明白的地方，例如舌頭伸出也會碰到土壤、砂石，這要如何脫除。捲到的獵物若太大，如何將舌頭捲回來等。不過，人類若能瞭解蛙的舌頭，可以幫助警察製作捕捉嫌犯的捲索。

「原來，老師對蛙類的了解，不是只在生態保護，也可以用在犯罪防範。」學生說道。「是的，教育是顯揚知識，背後有許多隱藏的裝備。」我說道。

蛙類聽覺的啟發

學生說：「老師，有些同學們說你是『夜來香』。」

我聽不懂：「為什麼呢？」

學生說：「夜晚出來蛙調時，老師看起來精神十足，很像夜來香。」

我明白了，原來我是一朵花。

　　蛇，是蛙的天敵。蛇有許多的技巧，可以捕食蛙類，但是蛇的中耳只有一根骨頭，難有平衡感，只好身體貼地活動，用肚子爬行，才能保持身體的平衡。

　　蛙的中耳，有二根骨頭作平衡感，因此牠能跳躍、爬行、游泳、鑽土，行為複雜且多變。蛇為什麼無法捕食許多蛙類？誰叫牠的耳中少一根骨頭？

　　長期以來，科學家對蛙的聽覺甚感興趣。

聽力的輔助器

　　著名的科學家沃爾（Ernest Glen Wever，1902-1991）認為幫助失聰的人獲得聽力，有賴人類對蛙類聽覺機制的瞭解。1926年，他在哈佛大學取得博士學位，在普林斯頓大學心理學系任教。二次大戰期間，他進入「國防研究委員會」反潛水艇作戰小組，研究聲納對潛艇的追蹤。

　　戰後，他持續研究聲波學。1949年，他出版《聽覺理論》（Theory of Hearing）一書，成為近代研究聽覺的重要著作。他首先提到將「人工耳蝸麥克風」（cochlear microphonic），放置在聽覺漸失者的耳中，誘發患者的耳蝸神經，增強對音訊的接受來重得聽力。他幫助普世千萬個重聽者。

　　他花許多時間研究蛙的耳朵結構與聽覺，他發現蛙類的耳膜內，有二根非常細小的骨頭，稱為「耳柱骨」與「鰓骨」。能將耳外的空氣振動，靈敏的轉成內耳的神經傳動。他說：「許多動物耳中的結構與功能，給人許多啟發，卻長期被人疏忽。」

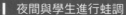 夜間與學生進行蛙調

聲波的傳遞

　　他提出蛙類聽到的音域在200-5000赫茲，比人類聽到的音域在20-20000赫茲窄小。蛙類的耳柱骨將超過1000赫茲的聲音，傳到大腦。1000赫茲以下的低音，鰓骨先傳到前肢，再傳到大腦。這種特別的聯結，使蛙類能夠藉由前肢，聽到地面、水中傳來的微震。沃爾寫道：「耳朵與前肢神經的相通，增加生命的安全性。由於蛙類在空氣、水、土壤中都可以聽到低音，造就蛙類的敏感與機警。」

　　超過5000赫茲的高音，耳柱骨就不傳到大腦，這使得蛙類聽不到人類製造的噪音，才使蛙類在人的周邊活動，不受影響。不過也成蛙類過馬路的危機，因為牠們聽不到車子的引擎與煞車聲。

蛙類物理學：人蛙聽覺比一比

音域範圍：

20-20000赫茲

聽覺運作：**外耳收集聲音，鼓膜與聽小骨將聲音傳送至耳蝸，聽覺細胞將聲音傳遞至大腦。**

特點：**聽覺範圍比較寬**

音域範圍：

200-5000赫茲

聽覺運作：**超過1000赫茲的聲音，透過耳柱骨傳至大腦。1000赫茲以下的低音，鰓骨先傳到前肢，再傳到大腦。超過5000赫茲的高音，耳柱骨就不傳到大腦。**

蛙類聽力範圍窄，聽不到車子的引擎與煞車聲，容易造成危險。

蛙類利用耳朵與身體，在空氣、水、土壤中都可以聽到低音，讓蛙類敏感而機警。

原來，能跳躍
是一件多美好的事

如果，人類總將注意力放在市場經濟上，

他們將忽略周遭一隻小蛙，一朵小花的價值，

有一天，將發現，

這是多麼大的損失。

　　觀察蛙類，注意牠們的行為，是非常有趣的事，可以給人很多有趣的思索。例如蛙的跳躍，是接近完美的運動。牠們的後肢長而有彈性，跳躍之前，在地上先彎曲收縮，躍向空中時，後肢逐漸伸開，到了最高點則完全伸開。

肢體的協調

　　越過空中高點，前肢逐漸伸開。接近落地時，前肢完全伸開。跳躍時前、後肢高度互動與平衡。前肢落地後，後肢又用前肢的反作用力，向上彈跳。蛙類的跳動像彈簧，不斷彈跳，又省力。

　　蛙類跳躍的動作，是前後肢重覆的彎曲、伸張、復原。動作的細節非常複雜，不同的蛙類前肢與後肢，伸展的幅度不同，彎曲的角度也不相同，跳躍的高度也不同。身體能夠高度伸縮，代表蛙類的肌肉有力、柔軟。前、後肢的巧妙配合，可以保持身體在空中的平衡。這證明蛙類有重心精確的平移，力與柔軟的協調，骨骼與肌肉的互助，與神經傳遞的靈敏，才使運動調控恰到好處。

物理復健的學習

　　最早研究蛙類運動與腦神經的關係，是英國倫敦醫院的神經醫學家傑克遜（John Jackson，1835-1911）。傑克遜是近代腦神經醫學的奠基人之一，1863年他提出癲癇發作是大腦皮質突然放電的結果。1873年，他又以大腦皮層的電波，來認識人類語言的能力、運動的反應與學習的功能。他認為蛙類的跳躍，是中樞神經的主動反射，使肌肉與骨骼巧妙的配合。他認為蛙類是教導人如何運動，才能避免受傷的好老師，是物理復健的典範學習。

蛙類物理學：完美的蛙跳

蛙類跳躍的動作是前後肢重覆的彎曲、伸張、復原。
動作的細節非常複雜，蛙類因為肌肉有力、柔軟，肢體配合巧妙，
才能使身體高度伸縮，完美的跳躍。

2
躍向空中時，
後肢逐漸伸開，
到了最高點
則完全伸開。

3
越過空中高點，
前肢逐漸伸開。

4
接近落地時，
前肢完全伸開。

5
前肢落地後，
後肢用前肢的
反作用力，
再度向上彈跳。

1
跳躍之前，在地上
先彎曲收縮。

他認為：「不正確的出力，將使肌肉僵直。脊椎受傷的人，常是姿勢錯誤，或是太急促施力，以致關節受損，或是熱身不夠，肌肉神經反射遲鈍，很容易產生局部痙攣。他提出人要像蛙類的柔軟跳躍，才不會在快速運動時受傷。

身體的彈性與柔軟

他建議脊椎受傷，或不自主痙攣的人，要像蛙類讓肢體更多互助、協調，相互支撐，增加身體穩定度。運動之前要有準備，再有動作，使身體更具彈性，不易受傷。

傑克遜是個性內向，不擅言辭的人。他來自貧窮的農家，剛出生時母親就病逝，由姊姊帶大。他只念幾年書，16歲時就出來工作。17歲時，他到醫院當清潔工，20歲時受到醫院院長布朗－塞卡爾（Charles-Edouard Brown-Sequard，1817-1894）的賞識，擔任院長的學徒。24歲，升任倫敦醫院的研究員，並開始研究因為脊椎椎間盤突出所造成人體的麻痺。

蛙類的見證

傑克遜用觀察來學習，他認為這是人的學習本能，又稱為「情境教育」。他認為人常忽略這種自我學習的方式，以致「過度教育」。他寫道：「過度的教育，對人是種傷害。使人老想依循制度，不受調整。例如最好的讀書方法，不是強迫性行為，而是每讀30分鐘到一個小時，放下書本，到戶外走一走，休息一下再回來閱讀。」

他在中年結婚，不久，妻子病逝，他沒有再婚，也沒有孩子。他後來成立「腦神經醫學會」，開啟身體受創的物理復健。他寫道：「小小的蛙類，能給人健康知識的啟迪。」

我講這段故事給學生聽，因為我發現，有些非常認真的學生，有接近自我強迫性的行為。緊緊的守住自己昔日的好成績，不斷鞭策自己照過往學習的方式往前走，他們的成績可能很好，卻缺乏學習的喜悅，我期待他們放鬆些，像蛙類跳躍，柔軟，又堅定。如此，才能學習久久。

我帶著學生到野外，是讓他們知道可以喜悅學習，而不是將讀書當成一場受苦的比賽。

古濕地的長腳赤蛙在草叢中看著我們

一群小學生開啓了
世界蛙類保育運動

蛙類的保育

與其他動、植物保育最大的不同在於

不是蛙類的種類變少了,

也不是蛙的踪跡不見了,

而是在蛙類的受傷,殘肢、斷腿,

令人不忍。

　　科學史上最著名的蛙類保護案例,是由一群小學生所發起的。地點是位於美國與加拿大之間的廣大丘陵,稱為哥倫比亞盆地。該區土壤肥沃,只是年降雨量約254mm,不足以提供農作物生長所需。

大型土地開發案

　　1902年,美國聯邦決定在哥倫比亞盆地建造水庫引水,再建造533公里長的幹渠引水,2,155公里長的灌溉渠道,灌溉4,500平方公里的農地。這個工程稱為「哥倫比亞盆地計畫」,是當時美國最大的農地開發案。中間受到第一次世界大戰與第二次世界大戰的影響,到1960年才完工。這個灌溉區成為美國小麥、大麥主要的產地之一。

　　1980年代,科學家已發現蛙類急遽減少,有些種類甚至消失。這包括:臭氧層破壞使輻射線增加,抑制蛙類的活動。酸雨的腐蝕,導致蛙類皮膚的破壞。農藥與殺蟲劑對蝌蚪具有神經性毒害。公路大量建造,使許多路過的蛙類被車擊死亡。蛙類並沒有市場價值,蛙類遽減的現象,沒有受到社會的關注。

尋找虎皮蛙

　　1990年,華盛頓州克連布魯克(crambrook)小學,一群4-5年級的學生辦理科展,要用蛙類介紹「生物與生物多樣性」。他們去找蛙類,沒想到學校、住家附近找不到任何一隻蛙。有些家長幫忙找,也找不到。後來這份科展報告,由介紹蛙類的多樣性,變成為何學校附近找不到蛙類的疑問。

這個疑問，經由在地報紙
的刊載。鎮上更多的人出去找
蛙類，結果只找到了5隻，而且
都肢體受傷。這些蛙類受傷的照片，
登到幾份較大的報紙，受傷的蛙竟比被壓
死的蛙更引人注意，一下子受到大眾的討論，
為什麼大部分的蛙類不見了，僅存的幾隻蛙都受傷？

華盛頓州政府的專家出面說明，州內的虎皮蛙是以前該州常見的蛙類，應該還有。有了指出名字的物種，更多人出去尋找虎皮蛙，結果一隻也沒找到。連常見的蛙種也沒有了，這引來的更多的議論。

1992年，州政府開始派專家調查。他們才發現1950年代之後，民間已少有虎皮蛙的紀錄。1970年後，博物館內沒有虎皮蛙的標本。這些專家持續調查到1996年，結果沒有虎皮蛙的蹤跡。

蛙類受傷的原因

探討原因，負責調查的專家再經三年審慎的評估，1999年提出，由於建造輸水圳路。圳路的邊坡不適合蛙類活動，許多蛙類跌傷。圳路邊的水草都被除去，缺乏給蛙類前往的覆蔽。停灌期間，圳路乾涸，導致蝌蚪死亡。

工程建造的目的，經常太狹隘，只為一項功能，沒有考慮其他，專注人類的需求，忘記其他動物的需要。以致工程建設若不留心，倉促而行，對生態破壞愈大。可惜大部分的決策者，大部分的工程師，不懂野生動物，也很少到野外細膩的觀察。關注蛙類消失，與殘存受傷的蛙，竟是單純的小學生。

故事的結局並不是悲劇，這份報告成為保護蛙類的經典，要求水路系統要兼顧生態化的催促。2000年，他們開始在圳路邊，建造生態池與保留草地，圳路也保持有水的狀態，讓蛙類可以安全進入圳道。殘存的蛙類，因而得到生機。

我多次告訴學生，「工程與生態並不是互相敵對，不是有工程，就沒有生態；工程也可以保護生態。不是有生態，就沒有工程，許多生態劣化區，也需要比較柔性的工程——像種姑婆芋、月桃，或像清淤、保護集水區來復育，慢慢的恢復原來生態的功能。」

我們還有一大段的路要走，現在從景美山下古濕地的保護起步，蛙類棲地的重建，需要非常多的觀察，只有非常少的經費，我們仍默默而行，慢慢的做，因為，真正要改變的是人的心。

蛙類物理學：
哥倫比亞盆地蛙蛙保育事件簿

1 小學生以蛙類研究做科展題目，卻發現學校附近一隻蛙都沒有。

2 受到媒體關注，許多人外出去找蛙類，卻只找到五隻，而且都受傷了。事件擴大到州政府，結果連整個州可以找到的蛙類也寥寥無幾。

5 事件發生後，
掀起世界對蛙類的保育運動

THANK YOU!

SAVE FROG

4 調查結果促使營造友善蛙類的空間，建造生態池與保留草地，圳路經常保持有水的狀態，保護蝌蚪。設計讓蛙類可以安全進入圳道的廊道。

3 調查發現因為建造輸水圳路，圳路的邊坡不適合蛙類活動，許多蛙類跌傷。圳路邊的水草都被除去，缺乏給蛙類前往的覆蔽。停灌期間，圳路乾涸，導致蝌蚪死亡。

Part 3
重現一座古濕地

在一塊土地上，尋找未來的傳奇

台北市是個盆地，

盆地的迎風面，截留了許多東北季風帶來的雨量，

有些雨水在盆地山崙之間形成野溪、小澗；

有些滲入地下，而後慢慢在山崙與平地接觸的地方

滲漏而出，形成水潭。

但是，都市化的過程，

大部分的野溪、小澗接上排水管，

或是將水潭排乾，填上砂石改成建地。

如今，大部分的水潭已經消失。

我第二次來到這裡，帶著1904年的「台灣堡圖」，

開始比對。

　　我是個老師，尋找台北盆地的古濕地，在教育上有什麼意義呢？是在證明一種早期的教育理念：「老師怎麼教，比教什麼更重要。」野地的問題，會給學生新的刺激，產生新的學習動力。師生相互溝通，可以帶給學生喜歡野外的學習方式。

　　我將台灣堡圖以地理資訊系統套疊現今的地圖，到現場來尋找古濕地的遺跡，因為連我也不知道會遇到什麼，這是給學生「訝異式」的學習。我先告訴學生：「如果能夠維護古濕地，就能夠讓古代動、植物的種類，有機會可以重返。我認為一個健康的都市，不是專屬於人類，而是讓人與動、植物，有個生態的平台，可以共享空間，相互欣賞。」

蛙類與烏山頭水庫

　　我相信，人類有照顧動、植物的義務。這義務的背後，是我們實際走出去，培養觀察的經驗，了解動、植物，再來營造需要照顧的地方。

　　在台灣的蛙類科學史上，1896年日本的學者多田綱輔來台灣採集蛙類，後來才有長腳赤蛙的發現。1902年，德國的生物學家梭德（Hans Sauter，1871-1943）來台灣，發現台灣有24種蛙類。而1934年日本的動物學者岡田彌一郎（1892-1976），鑑定了台灣的蛙種。

　　台灣人很早以前就養蛙，大多作為食用，尤其是大型的虎皮蛙。飼養虎皮蛙的水池，稱為「蛙田」。例如1930年，烏山頭水庫完工，輸水幹路的圳腳下有水滲出，就作飼養虎皮蛙的蛙田。

馬明潭地型測量圖
（紅色圈圈範圍即為古濕地範圍）

地質鑽探與花粉化石的佐證

台北盆地早期是個沼澤，蛙類應該很多。後來水排出去，土地漸乾，先民才進來開拓，當然仍然留下一些沼澤，成為先民給與的地名。例如早期台北稱為「大加蚋」，這是凱達格蘭語「沼澤」的意思。

我在景美山下標定，找馬明潭的範圍，先用地質鑽探的方法，取得土壤與岩心，再鑑定年代，並以顯微鏡來看裡面的花粉，作為尋找古沼澤遺跡的證據。我將這些想法告訴學生，學生說：「這是很有趣的事。」

地質鑽探的發現

我們在「台灣堡圖」的水澤位置，慢慢的往下鑽探。細心的將岩石取出、保存，並取出一部分進行化驗。結果發現：

1. 台北古沼澤存在的證據：在地表下8公尺，是長期滯水的礦物層。岩心是呈黑色的泥與砂岩。這是早期台北古老沼澤的證據。空氣中的氧氣無法擴散到沼澤下氧化底泥，迄今，岩層仍存長期滯水的還原狀態。用同位素-碳鑑訂年代，約在5000年前。

岩層中含有赤楊、櫟樹、九芎、野桐、楓香、樹杞等樹木的花粉，可見這些樹木是台灣原生的植物，也證明沼澤的周遭是這些樹木組成的熱帶闊葉林。岩層裡也有些禾本科草本植物的花

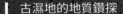

粉，證明沼澤不是開放的水面，而是有禾本科植物生長其間。禾本科植物是台灣水鹿、梅花鹿等的食物。或許在5000年前，這裡是平埔族逐鹿的獵場。

2.古沼澤旱化的變動：在地表下2.5-8公尺之間，是青灰色的泥層。其年代在5000-500年之間，表示台北沼澤水位已漸降，空氣已經能夠擴散進入沼澤的底泥，氧化成青灰色。這層地質中含有大量的蕨類孢子，與慈菇、艾草、菊科等親水性草本植物的花粉。可見古沼澤在乾化的過程，原先長在水深的禾本科植物水域，變成水淺的草澤。

3.平埔族農耕的證據：在地表2.5公尺的土層，已不具沼澤底泥的特性，而是黃棕色的砂礫，與部分的坋質土混合。這是近五百年景美山的開發、樹木的砍伐，使周遭丘陵地的沖刷所形成。不同深度的土壤粗細變化很大，土層中也夾雜一些石礫。可見不同年代，溪流沖刷的力量不同，以致土層的顆粒大小排列深度不同。土層中有樟樹、赤楊等樹木的花粉，證明台北沼澤陸域化的後期，木本植物生長到平地。

土層中留有大量小米與水稻的花粉，證明早期漢人、平埔族已將此改為農耕區，馬明潭大概在這時逐漸消失。

讓土地發揮價值

學生可能不知道，這是台灣歷史上難得的一次機會，在都市淺山丘陵地帶，私人的土地上，做如此的營造與探究。在台灣的任何土地上，不曾有人鑽探地質來幫助這塊土地，使人民了解在地古代的文化史。

我告訴學生：「也許我們正在做件台灣從未做過的事，給人示範土地的深度價值，超越市場經濟短期的波動，超越土地投資所獲的利益，超越蓋起大樓的房地產，超越政府的地價稅收等。藉由土地的精確調查，與詳細的地質、水文鑑定，以所得的資料，將台灣史推向到更早的年代，使一塊土地所代表的文化意義，能夠發揮出來，成為全民可以分享的資訊。當我們調查一塊土地，才是將私有土地的公共效益極大化。」

將課程變成野外探險

在景美山的山腳下觀察這些鑽出的土樣，辛苦卻很興奮。這裡蚊子多，我們穿了長袖、長褲；太陽很大，我們戴了帽子；有蛇出沒，我們穿了長筒鞋；地上的福壽螺很多，我與學生一起撿。2014年12月31日，我請學生的導生宴，不是到餐廳吃山珍海味，而是在寒冷的夜裡，大家坐在景美山下的一處草地上，看著月亮，靜聽拉都希氏赤蛙的鳴叫。

讓都市裡的土地，有個小小的水潭，保留古代的水文、地質與植生，讓殘存於都市裡的生物，有個避難所。讓那古老的野生動物，有個機會重返牠們古老的棲息地。讓都市裡的孩子，在此能夠聽到我們曾聽到的蛙跳水聲。這是我們正在編織的夢。

尋找古濕地，讓水潭的探索成為現今與過去，人類與野生動物的關係，重新得維繫。都市古濕地的重現，是一個大膽的挑戰：保留一塊小水潭，成為一個夢。

讓我們重新訴說一次都市古老的故事：

不是打打殺殺，不是強勢的欺凌，不是弱者的悲嘆，不是自然資源的搶奪。

而是古老土地的故事，有著樹木的變遷，有著草本植物的改變，有著土壤的風化，有著水的來去，有著生物的生活史，隱藏其間，這才是台灣的景物之美。

古濕地復育事件簿——地質探勘

當來到一塊土地，不論未來是要開發還是要進行保育，事前的探勘工作都是非常重要的，只有透過探勘了解土地，才能營造一個友善又健康的空間。但是，所謂的事前探勘究竟要做哪些事呢？接下來就以文中這個古濕地做為案例，進一步了解吧！

調查步驟：
❶ 將歷史地圖－台灣堡圖，以地理資訊系統套疊現今的地圖，找出古濕地的位置。
❷ 到現場比對地圖，尋找古濕地的遺跡。

該地為台北古濕地無誤！

地表下 2.5 公尺

不具沼澤底泥的特性，是黃棕色的砂礫與部分的坋質土混合，表示台北沼澤不復存在。

地表2.5公尺的土層中有樟樹、赤楊等樹木的花粉，也留有大量小米與水稻的花粉，證明沼澤已經陸化，早期漢人、平埔族已將此改為農耕區。

地表下 2.5-8 公尺

是青灰色的泥層。表示台北沼澤水位下降，空氣擴散進入沼澤的底泥，氧化成青灰色。

地表下2.5-8公尺之間，含有大量的蕨類孢子，與慈菇、艾草、菊科等親水性草本植物的花粉。古沼澤在乾化的過程，原先長在水深的禾本科植物水域，變成水淺的草澤。

地表下 8 公尺

岩心是黑色的泥與砂岩，是長期滯水的礦物層，形成年代約為 5000 年前，這是早期台北古老沼澤的證據。

地表下8公尺，發現赤楊、櫟樹、九芎、野桐、楓香、樹杞等樹木的花粉化石，也發現禾本科草本植物的花粉化石，證明這些樹木是台灣原生的植物，沼澤的周遭是這些樹木組成的熱帶闊葉林。沼澤不是開放的水面，而是有禾本科植物生長其間。禾本科植物是台灣水鹿、梅花鹿等的食物，附近可能有鹿出沒。

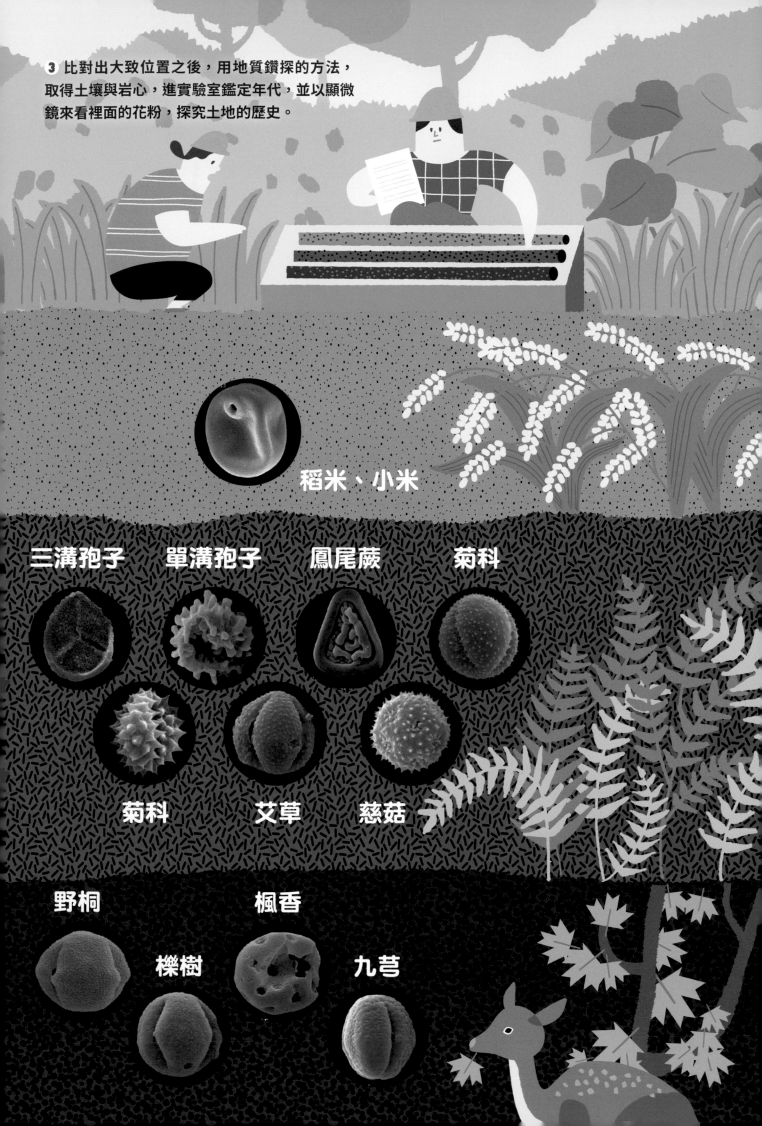

3 比對出大致位置之後,用地質鑽探的方法,取得土壤與岩心,進實驗室鑑定年代,並以顯微鏡來看裡面的花粉,探究土地的歷史。

稻米、小米

三溝孢子　　單溝孢子　　鳳尾蕨　　菊科

菊科　　　　艾草　　　慈菇

野桐　　　　　　　楓香

櫟樹　　　　　九芎

貢德氏赤蛙的地下室手記

貢德氏赤蛙，是台灣最活躍的蛙種之一，

牠們有高度的遷移性，

能夠順著灌溉水路與排水路，

多次進出水稻田。

牠們常在一個夜晚，吃幾個田區的昆蟲。

當農田成為都市，灌溉、排水路變成馬路下的排水管，

牠們仍然進出排水管。

牠們的鳴叫像狗吠，

所以，我會傾聽貢德氏赤蛙的叫聲，

如果傳自地下，就知道那裡有排水管，

順著排水管走，也許可以找到水的源頭。

耐汙染的蛙類

貢德氏赤蛙活動的範圍廣，牠們的腳強而有力，能夠在不同種類的地面活動。

蛙類在蝌蚪階段，用鰓呼吸。水太混濁容易阻塞蝌蚪的鰓部，使蝌蚪窒息、甚至死亡。貢德氏赤蛙的蝌蚪，能夠適應高度混濁的水域。蝌蚪變成幼蛙，是個劇烈的轉變，要由鰓呼吸轉成肺呼吸，才能到陸地活動。貢德氏赤蛙在幼蛙期，牠們的肺部能忍受氨氣、硫化物的毒性氣體，這使牠們能夠在污濁的下水道活動，是台灣最耐污染的蛙種之一。

由於都市地下排水管有許多通氣口，貢德氏赤蛙在水管鳴叫，聲音會由不同排水管的不同排氣口傳出。由相鄰的排氣口傳出聲音的強弱，來判斷牠確切的位置，是聞聲辨位的遊戲。

用蛙鳴找到沼澤的滲水點

由於貢德氏赤蛙早期經常在沼澤活動，又稱為「沼蛙」。牠們耐污染，體內經常累積在污水管中吸收到的重金屬，不能食用。牠們以水管為遷移的通道，使牠們最早出現在不同的池裡。若耐心的順著有牠們鳴叫的地下水管，可以找到水的出處。

甚至古代的沼澤已被填塞，貢德氏赤蛙仍會在淺層地下水的滲水區附近活動。貢德氏赤蛙經常成群出現，相互呼喚，牠們成群的鳴叫聲很大，在都市周邊的發聲源，可供作判斷臨山沼澤的潛在位置。這是用蛙類叫聲，作為大自然探勘的引路方向。蛙鳴不會沒有意義。

貢德氏赤蛙之歌

　　當我提到景美山上的貢德氏赤蛙，學生問：「以貢德氏赤蛙來聞聲辨路，可靠嗎？」我不禁興奮的說道：「偉哉，貢德氏赤蛙，最知道地勢變化，知道哪裡有水潭，哪裡有山澗，哪裡是天然排水的低處。即使我們擁有歐美先進的科學理論，擁有一些保育野生動物的經驗，擁有一點蛙類生態學、生理學、生物力學、微氣候學的知識，但是，我要告訴你們，到野外做任何事情要先請教在地的蛙類。尤其是貢德氏赤蛙，牠們是蛙界第一流探險家。也許，牠們會告訴我們，不為外人所知，最後水潭的遺跡。」

貢德氏赤蛙在鳴叫

　　學生又問道：「這要怎麼聽呢？」我叫大家坐在地上，耐心對他們說：「不同的人，對蛙鳴有不同的聽法。蛙類的發聲，不只是牠們溝通的訊號，也是牠們對周遭環境的感覺、表達與行動。牠們在喜愛的水域，就會一群在那裡叫。不喜歡的地方，一隻也看不到。根據台灣堡圖的地質鑽探，我們已知古代馬明潭的範圍，馬明潭在人類的開發中已經消失，但是在殘存的水域，可能仍有貢德氏赤蛙在那裡活動。」

　　夜裡，我與學生坐在景美山下的一角，聽貢德氏赤蛙的鳴叫，實在是很棒的經驗。學生繼續問：「老師這些知識，是怎麼學到的？」我說：「我唸工程，對生物瞭解本來很少。1981年，在美國念書時，一個唸野生動物學的同學教我利用野生動物的鳴聲，分辨位置與方向。後來，我在田間繼續學習。」學生又問：「老師有找到馬明潭嗎？」我說：「我帶你們來這裡，不是我一個人獨享找的樂趣，大家一起來找，樂趣才多。」

▌古濕地地下水出水處

▌台灣堡圖套疊在景美山上

地下水位觀測井的佐證

　　景美山下，貢德氏赤蛙鳴聲處，有一個隱密的水潭。水潭面積約44平方公尺，平均水深約0.21公尺，最深處水深約為0.39公尺。周邊有竹林與樹木，非常隱密。這個水潭是在「台灣堡圖」所繪測的水潭內，外人不易看出，連在地耆老也不知有這水潭存在。

　　水潭約在海拔22.56公尺處，我在水潭邊打地下水位觀測井，地下水一下子就湧出井管。

　　我後來持續觀測一年，水潭的水從不乾涸。我量測地下水觀測井的出水量，在2月分時，每日湧出的水量約0.82噸，6月分，每日湧出的水量約51.9噸，幾乎像個「自流井」。有這持續供應的水量，即使馬明潭大部分已經陸化。地下水的水壓，仍會持續滲水到外面，以致仍有這個水潭。啊，原來細細認識這土地，處處會有驚奇點。

古濕地復育事件簿：測量與清淤

在確認找到古濕地之後，接著要替古濕地進行健康檢查。

2

地下水位觀測井

在水潭邊打地下水位觀測井，觀測水潭出水量，在枯水期時，每日湧出的水量約 0.82 噸。豐水期時，每日湧出的水量約 51.9 噸，幾乎像個「自流井」，持續有水源供應。

1

測量大小與水深

水潭在海拔 22.56 公尺處，周邊有竹林與樹木，非常隱密。面積約 44 平方公尺，平均水深約 0.21 公尺，最深處水深約為 0.39 公尺。

清淤

3

古老的水潭，水裡有許多淤積，水中溶解的氧氣很低，水色混濁蚊子滋生。有機質的含量達5.42%，含有許多的鐵、錳，有毒重金屬的含量很低。淤泥挖除後，水質得改善，蚊子減少很多。

成果

經過清淤，健康的水潭周邊來了更多的蛙類，生態更豐富。

馬明潭的清淤

馬明潭古水域

用謙卑的態度前來改善

　　這古老的水潭，水裡有許多淤積，水中溶解的氧氣很低，水色混濁蚊子滋生。我取水潭的底泥回到學校化驗，有機質的含量達5.42%，含有許多的鐵、錳，有毒重金屬的含量很低。我請地主聘工人將水潭的淤泥，一鏟鏟的挖出來。我在旁邊仔細觀看，挖了10-15公分深，底泥下方已經是岩磐，就停工。再往下挖，就會把水潭底部的泥岩挖破，以後就無法蓄水。保護生態的工程，絕對不是過度施工。

　　淤泥挖出後經由日曬，堆成一座小土堆。淤泥挖除後，水質得到改善，蚊子減少很多。一個月後，夜晚我來此，有更多貢德氏赤蛙在此鳴叫。我坐在潭邊，靜靜的聽，靜靜的數，約有11隻貢德氏赤蛙，另外還有10隻拉都希氏赤蛙。之後，我每個月都來聽，記錄蛙的種類與數目。蛙鳴，是何等美好的音樂，給人何等的舒暢。

　　這是何等美好的大自然體驗，只要維護早期的水澤，早期的物種真的會回歸。

水質淨化後的馬明潭

將觀察蛙類，
當成生命裡的美好經驗

扣、扣、扣……（敲門聲）

「請進」我大聲叫道。

進來一個眼睛大大，頭髮捲捲的學生。

「有什麼事呢？」我看著他說道。

「老師，我可以參加夜間蛙調嗎？」他不好意思的問道。

「為什麼呢？」我問他。

「我想認識蛙類。」他說道。

「好，負責蛙調的學長會與你聯絡。」我立刻說道。

「我問過了，他說參加的同學太多了，不缺人手。」他委屈的說道。

「沒關係，他會告訴你去的時間。」我確定的看著他說道。

　　當我在尋找古代的水潭，保育蛙類的棲地時，最大的收穫不是我做了什麼，而是學生學到什麼。不是我完成了什麼偉大的任務，而是學生自發性的找到理想。不是辛苦的在寒冷的夜裡仍來看蛙類，而是看到學生的眼睛在發亮。

喜愛自發性學習的學生

　　參加蛙調的學生有機械工程學系、財經學系、農藝學系、植物學系、建築學系、環境工程學系，與一些我科系的學生。他們都沒有學過「蛙類學」、「兩棲動物學」或「野生動物保育學」，只是單純的喜歡大自然體驗，成為自我教育的方式。我常對他們講：「如果給你一本課本，你會自己讀，上課就有另外的意義。如果給你一篇研究文章，你會自己讀，你就會作研究。如果給你看一隻蛙類，你會自己研究，全世界的圖書館都會為你而開。」

　　多次前往，學生愈來愈有野地的經驗，他們互相討論的內容愈來愈有深度。有些學生對蛙類的認識，可能已經超過我，這是我當老師最大的成就。不過當我在野外分享時，學生會圍聚過來，拿出筆記，邊聽邊記錄。

大自然裡的移動教室

「如果野外就是教室，老師所站的土地，就是講桌，周遭的環境、動、植物就是教材。不用特意的準備，只要放輕鬆，看到什麼，就學習什麼。不用考試的催促，在這裡，喜愛什麼就自己去探索。老師不是一直在教導，當學生有所體會也可以向大家分享。這是移動式的教室，與我們互動式的學習。」我說道。

「老師，貢德氏赤蛙常去的古濕地，保育了以後，下一階段的工作是什麼？」學生問道。「工作？什麼工作？難道你們沒有看出我在這裡是享受。」我淡淡的說道。「原來，當個老師的工作，是學校付薪水，讓老師到野外享受。」學生明白道。我說：「本該如此。我是野教授啦！」「那今天，老師約我們到這裡，是有什麼特別的事呢？」學生快樂的問道。忽然，我轉頭看向景美山林木茂密處，說：「等待腹斑蛙。」

腹斑蛙的前來

「為什麼是腹斑蛙呢？」學生接著問，我低頭喝杯水後才說道：「台灣的蛙類，起跳角度最大的是腹斑蛙。牠們經常可以跳上45°以上的傾斜坡，所以丘陵地地型愈多變化，高低愈多歧異，潤葉林與草地交錯的地帶，腹斑蛙最容易前來。當我們將古濕地的水質淨化了，貢德氏赤蛙已在，下一步腹斑蛙會前來。」「什麼？不同種類的蛙會共享一個水域？」同學驚訝道。

▌遇見腹斑蛙

65

鳥類

機警的蒼鷺前來確認水池可以生活，其他的水鳥也會跟來。

蛙類

當生性機警的貢德氏赤蛙，確認環境沒問題，其他蛙類就會尾隨。

蛇類

蛙類回來了，也帶來他們的捕食者蛇類。

古濕地復育事件簿：
生態回復

古濕地的水質淨化了，蛙類就會陸續回來，也帶回來其他更多的生物，慢慢形成一個完整的生態。

　　「是的，例如在生態池的營造時，只要機警的蒼鷺前來，其他的水鳥就會跟來。只要機警的貢德氏赤蛙前來，其他蛙類就會尾隨。」我說道。「很有意思。」學生說道。「夜裡來看蛙類，不是課程的需求，又沒有學分。你們會自動前來，才是一群有意思的學生。」我感恩的回應。

探勘的目的

　　「我們探勘古濕地，復育成為蛙類可以棲息的地方，主要目的是什麼？」另一個學生問道。「對弱勢生命的尊重，反應在古文化地理的重塑。」我堅定的說道。「但是，我們並沒擁有這塊土地的所有權，所營造的棲地日後還不是容易被不瞭解的人破壞。」學生嘆息道。

　　「人類始終沒有擁有土地，但是我們可將這裡所見、所學、所體驗的知識分享出去，未來的事情，我們不用擔心。」我仔細說明。

　　「真好。」學生說道。「我們往前走吧，也許腹斑蛙已經來了。」我高興的說道。「老師怎麼知道呢？」學生驚訝道。「我已經聽到牠在遠處『給、給、給』的叫聲。」我很有把握的說道。

▌我與學生進行古濕地的測量

樹蛙，教我認識姑婆芋的美

我喜歡用蛙類的眼光

來看植物。

即使有些植物，看起來其貌不揚，

又長於荒廢、陰暗之地，

蛙類卻喜歡在那裡出沒，

這是什麼原理呢？

也許是蛙類在教導我認識植物的美。

「當你們傾聽，會聽到台北樹蛙的鳴叫。」我對學生輕聲說道。「大部分的聲音似乎傳自簇密生長的姑婆芋。」學生聽了之後，輕聲回應道。我稱許的看著學生說：「今天，我帶你們出來，就是一起來認識姑婆芋的美。」

不平凡的植物

有個學生說：「這不是很平凡的植物嗎？陽光較少、潮濕的地方，都會長一片。」我說：「世界上沒有一種植物叫平凡的植物。每種植物的存在，都有其獨特性。只是人用經濟的眼光看植物，以為菜市場不賣的，就不值錢。或是人以為不美麗的、不能吃的、不太香的，就是沒有用的植物。姑婆芋就是個例子，其實這種植物對蛙類有保護功能。要讓蛙類安全活動，

▌ 台北樹蛙在姑婆芋的新生葉上

姑婆芋是首選。因此，我請人在古濕地周遭的空曠之處，種了許多姑婆芋。」

「老師是想讓更多的台北樹蛙前來嗎？」學生問道。「精確而言，是想讓更多的台北樹蛙『有機會』前來。」我略作修改道。「為什麼台北樹蛙喜歡姑婆芋？」學生繼續問道。我想了一下才說道：「第一，蛙類藉由皮膚吸濕，但水分也會由皮膚蒸發。大部分的蛙類，要在相對濕度90%的地區活動。姑婆芋的葉片很大，有的可達1公尺長，密集簇生時葉面蒸散的水分，可產生潮濕的微氣候。」

姑婆芋的葉柄

蛙類的生態廊道

「有意思。」學生說道。「蛙類喜歡棲息在暗處，姑婆芋生長在陽光全光照60%以下的地方。大都長在是在森林的邊緣，或是山上的空曠地。森林透下來的光愈強，姑婆芋的葉片愈厚。愈陰暗的地方，姑婆芋的葉子就愈薄。森林裡每一片姑婆芋葉子的厚薄都不相同，這不只提供蛙類活動的陰暗。而且葉子不同的厚薄，透過葉片的光有不同，這給身體會隨周遭變色的台北樹蛙更多的選擇。」我邊說邊指著身邊的姑婆芋道。

「原來不同的姑婆芋，提供台北樹蛙選擇的空間。」學生說道。「也在提供蛙類遷移時的安全廊道。每一天陽光透過林蔭的入射光方位不同，姑婆芋為了接受不同方位的光，每根葉片長出的方位也不同。在森林裡每株姑婆芋葉柄的方位都不同，這種葉柄與葉片的高度變化，增加近地面的空間歧異度，保護的台北樹蛙就更多了。」我仔細說明道。

古濕地復育事件簿：姑婆芋

看似不起眼的姑婆芋，雖沒有經濟價值，但在野外它是生態復育的重要角色，保護著蛙類，也保護土地。

葉片1

葉片很大，有的可達1公尺，密集簇生時葉面蒸散的水分，可產生潮濕的微氣候。有利蛙類活動。

葉片2

葉片大可以擋風，增加蛙類攀爬時的穩定度。葉柄角度適合樹蛙攀爬。葉面強度也能支撐蛙類重量。

葉柄

為了接受不同方位的光，每根葉片長出的方位不同。每株姑婆芋葉柄的方位都不同，這種葉柄與葉片的高度變化，增加近地面的空間歧異度，提供蛙類遷移時的安全廊道。

葉鞘

基部積水，可讓台北樹蛙躲藏。

根部

生長快速，可以增加土壤有機質，增加土壤大孔隙的比例。密集生長，可以減少噪音傳入，避免蛙類受到外界的驚嚇。夜間葉面冷凝露水滴到地面，可以增加土壤潮濕。

「沒想到台北樹蛙與姑婆芋有這麼有趣的關係。」學生明白道。「台北樹蛙在夜間會爬上姑婆芋鳴叫。夜間吹過林中的風較大。姑婆芋會擋住部分的風速，增加蛙類攀爬時的穩定度。台北樹蛙的腳趾前端，有類似吸盤的結構，姑婆芋的葉柄角度適合其攀爬。葉面強度，也能支撐其重量，葉鞘基部積水，可讓台北樹蛙躲藏，因此姑婆芋對台北樹蛙有很大的幫助。」我指出姑婆芋的幾何學來說明。

「沒想到幾何學在這時可以用得上。」學生驚呼道。「數學不是全然抽象的學問，可以解釋大自然現象的邏輯。姑婆芋還有許多好處，例如生長快速，以後可以增加土壤有機質，增加土壤大孔隙的比例。密集生長，可以減少噪音傳入，避免蛙類受到外界的驚嚇等。夜間葉面冷凝露水，滴到地面，可以增加土壤潮濕等。」我細細的說明道。

保護台北樹蛙是細膩的事，認識牠們與周遭水—土壤—植物的關係，耐心的觀察，就可以找到關鍵之處。那是大自然奇妙的槓桿，讓人保護台北樹蛙變成省力的事。種上幾排的姑婆芋，就可以給牠們很好的保護帶。所以愛護野生動物，是配合大自然的藝術，不需要用許多的金錢來堆砌。

▍景美山上的姑婆芋

用月桃給蛙類
建造一個安全的家

要將都市周邊的淺山丘陵地，

復育成適合多樣蛙類棲息的地方，

最適合的材料之一是「月桃」。

即使樹林經過砍伐，或長年農業開發，

又有暴雨沖刷，甚至森林火災等，

要將這些破壞修補，

那就是種上月桃。

當我站在被人為破壞的丘陵地，經常在心中數算所看的月桃有幾棵，以及生長的位置，觀察植株生長的狀況。月桃是非常美麗的多年生草本植物，特殊性的結構，能夠成為修補淺山環境的功臣。每一株月桃的生長，都在維護周遭的土地。當月桃散布在山區不同的位置，就會組成一張看不見的網絡，保護大片的土地。

月桃的抗風

有一天，我與學生在景美山區走著，邊走邊與學生討論這事。學生問道：「為什麼月桃有這些能力？老師是怎麼看出來的？」「來，我們先來看看月桃圓環狀的地下莖。從這裡長出簇生排列的莖部，強風吹至，每根莖部將所受的風力，傳到底部的地下莖。圓環狀的地下莖，強而有力，能夠讓不同莖部傳來的力量相互抵消。能深入土壤，又向四方擴展，對土壤的抓著力，產生高度抗風的效果。風減弱時，又會讓許多昆蟲棲息。」

▌景美山上的月桃

「因此月桃有趣的造型與結
構，可以用來保護生態與許多野生
動物。月桃像是土地的五線譜，只要
畫上去，多樣的小型動物，會像美好的
音符跟上來。」我帶著學生看著月桃說道。
「所以老師經常默默看著月桃，是在傾聽什麼音
符會跟上。」學生說道。

我說：「是的，月桃的地下莖四通八達，根系部分腐爛之後，可以增加土壤有機質，讓土壤
有好的結合力，並增加較大的土壤孔隙。此外，月桃長在野溪山澗旁，旺盛的地下莖可以增加
水岸的穩定，是很好的護溪植物。我們在保護古濕地時，就在潭邊種了許多月桃。」「所以經過
時，看到許多月桃，原來是人工種的。」學生說道。「是的，生態保育的工作是融入大自然，做
到讓別人看不出來在哪裡施工。」我微笑道。

美好，是來自配合大自然，我相信有種美好的工程，不是改變大自然來適合人類，而是
人類帶著謙卑與瞭解，去配合大自然，大自然會有巧妙的槓桿，讓我們以最省力的方式，最少
的施工，來達到效果。

「原來月桃這麼有用。」學生說道。「我們只能保護一個小小的水潭，景美山集水區的保
護，還需要景美山周邊居民、更多有遠見的企業家一起來。組成類似『景美山生態之
友』的民間組織。大家一起來認識自己的居住環境，維護自己的周遭，使更
多的古地域可得保護，給社區居民帶來向心力，給居住的社區，有無
與倫比的文化與生態特色。」我望著景美山下的廣大社區說道。

▌台北樹蛙在草地上

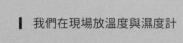
我們在現場放溫度與濕度計

維持蛙類食物鏈的關鍵物種

「原來在地生態、文化特色與居民生活的素質，是連在一起的。」學生明白道。「都市人若將居家附近的公園，當成運動公園；將周遭的山，當成休閒的山，是不夠的。要當成是認識大自然的教育，照顧生態的學習所，是愛護野生動、植物的教室。」我語重心長的說道。

「這也是老師帶我們上課之外，又出來野外觀察的原因吧？」學生望著我說道。「我們的一生短暫，野外的知識學不完，例如一棵月桃長在那裡，就有奇妙的事跟著發生。月桃的香味吸引昆蟲來採蜜，月桃花結果時，鳥類來啄食。果子落在地上，又成為許多地面上昆蟲的食物，部分昆蟲又成蛙類的食物，這是個奇妙食物鏈的組合。永遠不要低估一株月桃，月桃所提供的效益，超過許多人的想像。」我說道。

寶藏在那裡

有個學生過來，問個敏感的題目：「過去的景美山，曾是日本對聯軍高級軍官的戰俘營，1950年代後又是軍事用地，聽說這裡藏許多財寶。老師在這裡挖觀測井，浚渫底泥，鑽探岩石，又四處走來走去，看來看去。景美山到底有沒有財寶？」我聽了立刻環顧四周，看有沒有閒雜人混在學生當中，有沒有無聊人側耳在聽。我確定安全之後，才壓低聲音對學生說道：「有財寶」。

學生歡呼道：「財寶在那裡？」我指著前方的月桃，盡在不言中。

遇到蛙的卵泡

古濕地復育事件簿：月桃

月桃是很常見的植物，不僅人類對它有許多的利用，在生態營造上，它是保護水岸最好的植物，一棵月桃長在那裡，就有奇妙的事跟著在發生。

花朵
香味吸引昆蟲來採蜜

果實
吸引鳥類來啄食，也是地面上昆蟲的食物，昆蟲又成為蛙類的食物。

地下莖

❶ 抗風：圓環狀的地下莖，長出簇生排列的莖部，深入土壤，向四方擴散，可以高度抗風。

❷ 活化土壤：地下莖四通八達，根系部分腐爛之後，可以增加土壤有機質，讓土壤有好的結合力，並增加較大的土壤孔隙。

❸ 穩定水岸：月桃長在野溪山澗旁，旺盛的地下莖可以增加水岸的穩定，是很好的護溪植物。

Part 4

野地裡的課

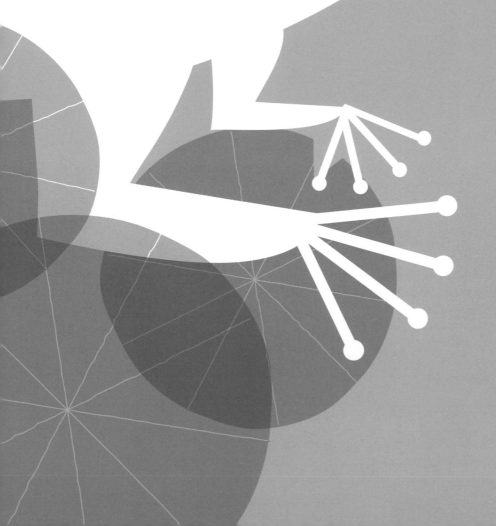

蛙類觀察與野地裡的課

那一天，下課時。

我對學生們說：

「下課後，老師要騎腳踏車去看大自然，誰要跟？」

全班都舉手。

我問道：「你們有騎腳踏車嗎？」

有個學生說：「沒有。現在就去借u-bike。」

我離開教室前，看到一個男生坐在第一排，

我說：「來，幫老師擦黑板。」

他就上去擦。

三個小時後，我騎腳踏車回到辦公室。

才看到那個擦黑板的學生，給一張紙條：

「謝謝老師叫我擦黑板，這樣我下課前，又可將上課所教複習一遍。」

有這種學生真好。

在野外時，有個學生問我：「貢德氏赤蛙、腹斑蛙回來，是不是保護野生動物的成功呢？」

「我不這麼想。」我想了一下，才緩緩說道。「為什麼呢？」學生問道。

生態保育的基本態度

「你問的是個不容易答的問題，讓蛙類回到都市裡的古濕地，是很棒的成果。但是我們可能會落入一種陷阱，以為是我們的科學知識，使牠們回來；是我們的復育技術，保住牠們的生機；是我們持續的關懷，使牠們能自由的在這裡鳴唱。如果我們的生態保護，只是滿足自己的成就感，達到自己的目的，讓不太可能的事變成可能。我們將落入以生態為手段，炫耀自己成就的人。我們要學到謙卑，在整個行動中，蛙類才是古濕地裡真正的主角。我們只是將原本就該屬於牠們的地方，歸還給牠們。」我緩緩說道。

包山包海研究隊

　　其實，學生不知道我在2013年之後，有時會有暈眩。暈眩時，我必須坐下來，幾分鐘後就會好了。我知道再也不能像以前一樣在野地工作，獨自爬山涉水，採樣分析。喜愛野外的人不能到野外，使我沮喪。這期間許多學生自動前來，與我同行，成為我的助手。學生還組成一支隊伍，稱為「包山包海研究隊」。

　　我問學生：「為什麼叫包山包海」？學生們笑著說：「我們來自不同的科系，好像從山從海聚集而來。」後來這些學生還問我：「老師的課，是不是有一半的時間，讓我們來講？」這是近二、三年，我在教育上的一個很大的突破，一半的時間給學生講。後來學生愈來愈有心得，要求增到三分之二的時間，讓他們分享。

新世代的教學

　　這是我在探勘古濕地與蛙類復育，最大的收穫，瞭解新世代的學生，是如何學習。太多的資訊，他們可以由網路上找到。他們所需要的是將資訊轉成知識的經驗，這需要老師的教導。他們在將老師的經驗，消化成自己的認知時，獲得喜悅，就想在課堂上與大家分享。

　　這種課程，整個幾乎沒有人蹺課。有人上課若沒有出現，分享的學生們立刻打電話叫他來。我第一次看見學生打電話，催別的學生來時，嚇了一跳。我才知道學生互相給的壓力，超過老師給學生的壓力。

　　那一學期學生給我的教學評分是4.92〔滿分5分〕，其實大部分的課，是學生在上。我不知道這種教學，要用什麼名稱去稱呼。但是我似乎看到，未來教育的一點曙光。學生在課堂上講，我只在底下聽，給他們一些意見。他們要的是下課後，出野外與我討論，學生們認為這是課本上學不到的，結果兩學分的課，每星期約上5-8小時。

野外觀察的專注力

　　野外觀察蛙類，必須耐心，不能使蛙類感到我們的進入是干擾。必須細心，才能讓蛙類不因我們而驚嚇。我在景美山下，有時對上百個學生講解。但是進入棲地觀察，只帶幾個「包山包海」的隊員。我們彎腰蹲在水邊，或是坐在地上，靜靜聽不同方位、遠近、高低處傳來的蛙鳴。

即使在野外一陣子，只聞蛙鳴，不見蛙踪，也不以為意。我對學生說：「野外觀察，不是參觀動物園。在動物園裡可以看到想要看的動物，在野外不一定看得到，看不到也無所謂。這裡，牠們是主角，我們不過是一時的訪客。」

是的，在我們繁忙的行程裡，學習撥出一些時間，在水旁，在樹木下，在灌木邊，觀察蛙類，與蛙類共享對美好環境的禮讚，這是蛙類教給我生活的藝術。

「難怪老師要我們知道愛護土地，行事低調。」學生回應道。「是的，無論我們對蛙類的瞭解多少，不瞭解的遠比瞭解的多。牠們是野生動物，不是人類豢養的家畜。不要以為我們保留一個小濕地，就夠滿足蛙類生活史的所需。如果景美山的環境不能保護，蛙類在水中產卵後，就不能在陸地獲得食物與覆蔽，蛙類還是不能生存。」我看向景美山的深處說道。

生態保育需要長期的耕耘

「那怎麼辦呢？」學生有點著急的問道。「讓蛙類棲地獲得保護，固然是可喜的事。但是對弱勢動物生存權的重視，還需要長期的耕耘，愛護生物才會成為我們文化的元素，值得肯定的價值，這需要教育與人民素養的提昇。如果沒有將知識揉成文化，不久，這裡又會被破壞。你們要知道，形成一個古濕地是幾千年的時間，保留一個小水潭是幾年的努力，將這裡破壞，則是不到一分鐘的事。」我說道。

「原來，老師帶我們來此，不只在教導認識蛙類的保育，也是面對生命的態度。」「是的。也謝謝你們多次與我一同前來，在這麼小的一件事上，讓我們一起找到夢想與熱情，並且在沮喪時，重新再出發。」我感恩的說道。

工作大現場——
野外蛙調的基本守則

1 野外觀察蛙類，必須耐心，不能干擾蛙類。

2 必須細心，不能讓蛙類受到驚嚇。

3 只聞蛙鳴，不見蛙踪，也不為意。

4 帶著謙卑的心，蛙類是主角，我們不過是一時的訪客。

保護集水區的環境

我相信，一個有文明的城市，

不會用近代的建設，完全取代舊有的建築；

不會讓水泥的構造，填塞每一寸的空間；

不會讓道路，將都市切割得零碎；

不會讓人為活動的噪音，擴散到城市的每個角落。

文明的城市，會保留一些舊有的遺跡，

讓未來與歷史，在現今有個相遇之處，

讓孩子們知道，我們不是活在斷裂的世代，

而是，秉持舊有美好的傳承。

　　有天下午，我約幾個學生去爬景美山。「老師，今天的重點是什麼？」學生問道。「嗯，來認識這個山區，因為這是古濕地的集水區。」我喜悅的邊走邊說道。景美山的海拔約170公尺，是台北市的淺山丘陵地。登山的小徑很多，坡度不大，很容易走。「這是『仙跡岩』步道，聽說有仙人來過，留下足跡。」學生在野外，問的問題總比課堂多。

岩石的風化

　　「根據我們在山下的鑽探資料，地表下18-20公尺的地方，存有海貝的化石。因此在古老的年代，這山區是沉在海底下。山上的岩層大都是泥岩與細砂岩組成，早期這裡的海水頗深，沉到海底的沉積物才會比較細。地殼的運動使海底抬升成山，山的組成大都是泥岩與砂岩岩層的交錯。砂岩的風化會在岩石的表面局部崩落，留下不規則幾何圖形。有一塊岩石上有類似人的足跡，才有人稱此為『仙跡岩』。」我說道。

　　「所以仙可能是指古代的海貝？」學生笑著問。「不。仙在古代的甲骨文，代表地勢如山的『升高』，沒有影射任何的生物。」我說道。「沒想到老師的中文底子也不錯。」學生說道。「自然科學與文學，彼此是鄰居，有人只租其中的一間房，有人一次租兩間。前者較能專注，後者較累，但是累得很有趣。」我有所感觸的說道。

調查景美山的野溪

集水區的保育

「那麼，為什麼要調查古濕地的集水區呢？」學生問道。「水潭在地理上是小尺度，周圍的景美山才是大尺度。我們必須保護大尺度，小尺度才能得保存。我要關照集水區，蛙類才有安全進出水潭的路。水潭的復育不夠，尚要有集水區的保護。當然，保護之前對集水區要有相當的瞭解，否則我們不知道要保護什麼。」我從學理上說道。

「對集水區的保護，最關鍵的項目是什麼？」學生問得很直接。「雨水的下滲。」我說道。「這是什麼意思呢？」學生接著問。「好的森林集水區，地表之下有個大水缸。下雨時雨水落在地面或植物體上，大部分的水，會滲入地下的天然大水缸中，再緩緩的流出。古濕地的水，就是這樣來的。下大雨時，山裡溪澗的水若暴漲，是劣化的集水區。反之，下雨一、二天之後，溪澗的水位才緩緩上升，這是理想的集水區。」我說道。

大孔隙的幫助

「真有意思，那麼如何使雨水進入地下呢？」學生問到關鍵了。「土壤的孔隙有大孔隙、小孔隙之分。大孔隙的孔徑，約大於0.1公分。雨水從大孔隙下滲，才滲得快。如果地表土壤都是小孔隙，雨水會形成地表逕流，很快的流入溪澗，山裡就失去儲水的功能。古濕地能否長期維護，最主要的影響因素在山區的大孔隙有多少。

所以，有人在山裡散步，有人在山坡上的階梯跑步，有人來此看鳥，有人來此種菜。我們卻是來看土壤裡的大孔隙有多少。」我不禁唱起歌來。

「但是，我們沒看到土壤大孔隙啊。」學生將我拉回現實。「人的眼睛看得到的，是集水區表徵的現象。看不到的，才是影響集水區的實質。土壤的大孔隙不是用眼睛直接看，而是間接觀

工作大現場——
了解集水區是否健康

1 有沒有茂密的樹木，樹木的根毛腐爛後會成為土壤的大孔隙。

2 看地面落葉多少，愈多落葉在土壤分解，就有愈多的有機質。

3 看山區的人為建物，如：道路，山區的運動場、涼亭、建築物等，愈少愈好。

4 觀察野溪、岩層與土壤。

5 傾聽周遭的蛙鳴、蟬聲、鳥叫等大自然的聲音。

6 向遇到的在地茶農、果農、菜農請教。

察，例如看山區有沒有好的水土保持，能夠讓地表上的土壤留下雨水。看有沒有茂密的樹木，樹木的根毛腐爛後會成為土壤的大孔隙。看地面落葉多少，愈多落葉在土壤中分解，就有愈多的有機質，容易組成大孔隙。看山區的道路多少，以免人為踩踏與水泥路面使土壤變硬。看山區的運動場多少、涼亭多少、建築物多少、透水磚塊多少等，這些都要少，山區的土壤才有較多的大孔隙。」我說明道。

「沒想到老師爬一次山，就看了這麼多。」學生說道。

大自然的觀察家

「還可以看山上野溪的水深多少，沖刷多深，溪底的石礫有多大，溪溝的邊坡保護、溪溝的流向與彎度、山區岩層的走向、岩層上方土壤的厚度、土壤的顏色、土壤顆粒的粗細，並傾聽周遭的蛙鳴、蟬聲、鳥叫等。對喜歡觀察大自然的人，這些現象，都在呈現山區的狀況。」我看著學生說道。

「謝謝老師。」學生說道。「在山上遇到在地的茶農、果農、菜農，還要向他們請教。我永遠不認為自己是權威，希望以後你們無論有多少經驗，有多高的頭銜，也不要以權威自居，而會向在地人請教。」我說道。

▌景美山坡地排水

愛，使我們多走一哩路

如果，我是一隻蛙，

我會東跳跳，西跳跳，

或躲在樹木底下呱呱叫，

或在姑婆芋的葉面上曬太陽，

或去拜訪月桃樹底下，

搬來了的那個新鄰居，

或去觀看草叢裡，那隻蚱蜢在唱歌，

或在清晨看看陽光，

或在晚上看月亮，

或是在下大雨的日子，

跳到樹洞裡，或竹林裡，

靜靜等著，等著……

直到最後一滴的雨珠掉落，

我就跳出來，

在雨後的小池邊，對大家大聲說道：

「我是快樂的蛙，呱、呱、呱。」

「蛙類的快樂嗎？」學生問道。「當然啊！」我很有把握的說道。「但是學校沒有開『蛙的心理學』，蛙會不會感慨的叫道：『人啊，其實你們不懂我的心。』」學生的反應很有啟發性。我搖搖頭。「為什麼呢？」學生追問下去，我看著他們說：「因為有我們在，蛙類有知音。」

愛的另一種選擇

我又緩緩說道：「任何生態保育，如果只是幾個喜愛大自然者的樂趣，這些人老了，過去了，所保護的都會被破壞。這也是生態保育已經百年，世界的環境還是在劣化的原因。」學生急問道：「怎麼辦呢？」

我說道：「喜歡生態是個人的選擇，認識生態是科學的知識。但是要讓生態保護真的落實，還需要有人將『生態價值』轉換成『社會價值』，否則社會會在無知的情況，去破壞生態。」

工作大現場——
古濕地的
永續經營

生態保育已經百年，世界的環境還是在劣化的原因

任何生態保育，如果只是幾個喜愛大自然者的樂趣，這些人老了，過去了，所保護的還是會被破壞。

解決方法：
將『生態價值』
轉換成『社會價值』

1. 分享保護環境對於社區居住環境的好處。

2. 提昇生態對於周遭的房地產的正面功能。

3. 欣賞蛙類對兒童教育的功效。

4. 個人傾聽蛙鳴，是種休閒的體驗；一家人前來，是促進庭溝通的要素。

5. 藉由活動來分享知識。藉由知識來讓更多人體會生命的美。

6. 用對生態的愛，向前多走一哩路。

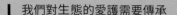

　　　　　| 我們對生態的愛護需要傳承

智慧的選擇

　　「怎麼轉換成社會價值呢？」學生邊聽邊思考的問
道。「魯賓遜漂流在荒島上時，他必須盡可能的在將沉的船
上取東西。他取了帆布，要作日後的帳棚。他取了種子，要
在無人島上種蔬菜。他取了槍械，要保護自己……末了，他看
到許多的金幣與一隻狗，你們猜他取了金幣，還是那隻狗？」我換
個角度問道。「有那隻狗，以後才有陪伴的朋友。金幣在無人島上，一
點也沒用。魯賓遜一定選那隻狗。」學生說道。

　　「但是現代的人會選那些金幣，不會選那隻狗。」我說道。「那是我們不住無人島。」學生回
應道。「選擇金幣的人，將失去了忠實的陪伴。即使是現在，不是也如此嗎？忠實的陪伴，永遠
不是人類選擇的優先。」我說道。「這世界已經沒有魯賓遜的無人荒島了。」學生說道。

生態與社會的協奏曲

　　「這是我們的責任，讓人知道那隻狗，比金幣更重要。」我說出心裡長期的思索。「這怎麼可
能？在經濟主導的社會裡，沒有比金幣更優先的選擇。」學生說道。「我們愛護生態，復育古濕
地，成為更多蛙類棲息的地方，這些愛心還要再進一步的推出去，例如經驗分享的活動，教人
傾聽蛙鳴的喜悅，認識古濕地給在地帶來的特色，成為都市孩童的自然體驗等，都可以將生態
價值轉換成社會價值。

　　所以我在景美山下開課，教導附近學校的老師、學生與居民。分享保護景美山，對於社區居
住環境的好處；提昇生態，對於周遭的房地產的正面功能，欣賞蛙類對兒童教育的功效；個人傾
聽蛙鳴，也是種休閒的體驗；一家人前來，是促進家庭溝通的要素。以生態之愛，來辦理活動，
藉由活動，來分享知識。藉由知識來讓更多人體會生命的美。這是我的實踐。」我仔細的說明
道。

景美山下的生態書寫

如果有人問我：「誰是你的鄰居？」
我會答：「我有好多鄰居，有時是一隻鸚鵡，
有時是一隻蛙類，
有時是一隻甲蟲，
有時是一隻貓頭鷹……」
「你家隔壁都住動物？」
我會說：「還有一棵較高的白玉蘭，
一棵害羞的蒲桃，還有
一棵較矮的野桑樹。」
我家在台北的溫州街，我是記錄都市一角的人。

生態不只可以保育，也可作為書寫的體裁，稱為「生態文學」。生態文學是種溝通，讓非學生態的人也可以讀懂大自然的語言。生態文學是種珍惜，讓人品味大自然的資源。生態文學是種教育，鼓勵人在觀察中學習。生態文學是種記錄，留下昔日在地的歷史與記憶。生態文學有著感情，讓單純的人去接觸濃濃的在地情。

生態文學的特色

文學是帶著情感與思考，去做文字的編串。生態文學是野外親自走過，親自看過，親自接觸過，以內心激發的感情來書寫，以長期觀察的心得再用文字包裹。在野外的散步，可作稿紙方格間的鋪陳。例如在隱密的濕地邊，看到一隻幼蛙的驚喜，可以找到幾個文字來填寫。瞬間，情感被文字凝聚，思考成為文字間的水流。

一個世代的文化，可用當時的文學來表達。因此一個世代對大地的認知，可用生態文學來傳述。每個世代不

▎帶學生訪談景美山社區

同，所產生的文學也不同。環境不斷的變遷，生態文學的特色，下個世代無從取代。每個世代的精華在文學，每個國家對環境的重視或忽視，也會存封在生態文學裡。

用心與用情

建造會過去，開發會老化，激動會變平靜，燦爛會歸於平凡，財富會漸失味，但是生態文學會留下。多少動、植物在此豐采，如果對大地有愛，對生物有情，我們的筆就有滋潤，可以再書寫。我們的稿紙，就是最好的記憶底片，留下世代的美妙，增添人性的光彩。

2016年，我不知道還有多少日子，能在景美山下觀察與記錄。但是我知道只要用心，在一個小小的地方，所觀察的心得，也可以轉化成許多可分享的體裁。

夜裡，我們仍走在古濕地邊，離去時，聽著景美山傳來的哇鳴，我相信，明天會更好。

▌我們喜歡自然攝影

後記

2013年，我們發現「馬明潭」的遺跡，

2014年整治水域與整理周邊的環境。

許多蛙類回來，山腳下的古濕地，幾乎成為景美山區野生動物的避難所。

2015年，台北市政府也認定這是馬明潭的古濕地，建造物不能入侵。

2016年，學生問我：「這裡未來會如何？」

我笑著說：「『馬明潭』已成『蛙鳴潭』。下一步等待馬兒歸回？」

「馬兒若不歸來，怎麼辦？」學生問。

我說：「我就說故事。以前，我在中學的時候，

曾經拿根線，到水稻邊釣拉都希氏赤蛙……」。

我們至今仍在調查

作繪者介紹

作者

張文亮

美國加州大學戴維斯分校（U.C. Davis）水土空氣資源學系博士，
現任台灣大學生物環境系統工程學系教授、台灣大學生命教育
中心諮詢委員、台大生態工程中心主任，濕地生態與工程授課老
師，亦擔任台大新生專題課程「大學101」授課教師。2007年師
生評選獲第一屆台大優良導師獎，2012年獲台灣農業工程學會之
「農業工程學術獎」、台大社會服務傑出獎、台大教學優良獎，以
及台大「個別型通識課程改進計畫」101學年度第一學期績優獎。

在學校裡，他自稱「河馬教授」，是最受台大學生肯定的教授之
一，更是影響無數學生的生命導師。在課堂上，他可以把冰冷的
科學，變成一堂堂精采的故事。有人說，他是最會說故事的科學
家，也有人稱他是「教育工程師」，環境工程是他的專業，教育是
他的職志。

張文亮教授持續筆耕不輟，不僅連續十多年投入科普文學寫作，文
章收錄成為國、高中教材外，也擔任十屆的教育部文學獎評審、
兩屆的行政院國家出版獎評
審，更是三屆的行政院金鼎獎
得主，及吳大猷科普創作獎得
主。著作包括：《愛說故事的
科學家張文亮：蜘蛛人、龍貓
也不知道的祕密》、《為什麼薯
條這麼迷人？》〔國語日報〕、
《當青蛙念到蝸牛大學：在大
學點燃學習的動力》、《飛機為
什麼沒有撞到羊：在大學體會
生命的價值》、《牽著蝸牛去散
步》、《昨夜，我與一顆橘子摔
角》、《生命科學大師 —— 遺傳
學之父孟德爾的故事》、《隱藏
的種子史華璐：近代食品安全
的改革者》〔校園書房〕等。其
中，《草上飛科學世界探險：
誰能在馬桶上拉小提琴？》〔國語日報出版〕、《電學之父 —— 法拉
第的故事》〔文經社出版〕曾榮獲行政院新聞局金鼎獎。

插畫
洪千凡〔rabbit44〕

出生在台中，成長在台北。
師大美術系、師大美術教育與美術行政研究所畢業。前半段人生在素描、水彩、油畫、唸書、看漫畫中度過，出社會的後半段人生，暫時在寫部落格使用電腦做設計、畫畫、看電影、看漫畫中度過，平日性喜出沒在台北各大小電影院及咖啡廳。

有時會用bbs時代的暱稱rabbit44行走江湖，畫過另一本書《跟著課本去旅行》及其他、做過幾年雜誌，職涯上最滿意的身分是電影粉絲專頁《一張照片看電影》的創辦人。

從小養過狗、兔子、天竺鼠、魚〔也許還有蠶寶寶〕，並與兩隻貓一起長大。必須承認在畫青蛙前與青蛙不熟，但現在畫完本書，走在路上已經可以跟青蛙裝熟了。

漫畫
好面〔iimAn〕

個人主要作品為與惟丞老師合作，自遊戲改編漫畫的《機甲英雄FIGHT!》。擔任過2013年台灣漫畫博覽會主視覺設計繪師。2014年與2015年連續受到SCET指定擔任《PSVita TV》與《ENJOY PS Plus!!》廣宣主題漫畫的製作。2015年接受〔親子天下〕委託，與彭傑一同製作科普漫畫《超科少年SSJ》。以前念書時科學相關的成績不佳，現在卻開始畫科學漫畫，不過也因此學習了不少，或許這也算是某種轉型正義（？）

蛙做的夢是什麼顏色？
──古濕地復育記

作者	張文亮
繪圖	洪千凡
漫畫製作	好面（iimAn）/ 友善文創
責任編輯	周彥彤、呂育修
美術設計	Today Studio · 今日工作室
發行人	殷允芃
執行長	何琦瑜
副總監	張淑瓊
主編	黃雅妮
副主編	黃麗瑾
資深編輯	許嘉諾、呂育修
編輯	熊君君、李幼婷、余佩雯
助理編輯	張滋庭
資深美術編輯	林家蓁
出版者	親子天下股份有限公司
地址	台北市104建國北路一段96號11樓
電話	（02）2509-2800　傳真（02）2509-2462
網址	www.parenting.com.tw
讀者服務專線	（02）2662-0332　傳真（02）2662-6048
客服信箱	bill@cw.com.tw 週一～週五：09:00~17:30
法律顧問	台英國際商務法律事務所 · 羅明通律師
電腦排版 · 印刷製版	中原造像股份有限公司
裝訂廠	堅成裝訂股份有限公司
總經銷	大和圖書有限公司　電話：（02）8990-2588
出版日期	2016年9月第一版第一次印行
定價	420元
書號	BKKKC056P
ISBN	978-986-93545-7-8（精裝）

國家圖書出版品預行編目（CIP）資料

科學築夢大現場.3：蛙做的夢是什麼顏色？：古溼地復育記 / 張文亮作. -- 第一版. -- 臺北市：親子天下，2016.09
　面；　公分
ISBN 978-986-93545-7-8（精裝）
1.科學 2.自然保育 3.通俗作品

307.9　　　　　　　　　　　　　　105016104

本出版品獲文化部補助發行　　文化部 MINISTRY OF CULTURE

訂購服務 ──────────────

天下雜誌網路書店	www.cwbook.com.tw
親子天下網站	www.parenting.com.tw
書香花園	台北市建國北路二段6巷11號
	電話（02）2506-1635
劃撥帳號	50331356 親子天下股份有限公司

www.parenting.com.tw